RUMIKO TAKAHASHI

INUYASHA

39

INU-YASHA n° 39
© 1997 Rumiko TAKAHASHI / Shogakukan, Inc.
First published by Shogakukan, Inc. in Japan.
Spanish language rights arranged through Viz, Media, LLC U.S.A.

Edición española:
Director editorial: Joan Navarro
Asesor: Enric Piñeyro
International rights: Akiko Yamada
Traducción: Marc Bernabé (Daruma Serveis Lingüístics, SL)
Rotulación y retoques de interior: Estudio Ferran Delgado
Diseño Gráfico: Luis Domínguez y José Miguel Álvarez
Redacción: Mar Calpena e Irantzu Piquero
Editor jefe: Félix Sabaté

© 2006 Ediciones Glénat España, S.L.
C/ Tánger 82,1°
08018 Barcelona
www.edicionesglenat.es
e-mail: info@edicionesglenat.es

ISBN: 84-8449-906-5
Depósito legal B-282-2006
Impreso por Aleu, S.A.

Índice

RESUMEN DE LOS VOLÚMENES ANTERIORES

En la época de las guerras civiles, el joven medio-demonio Inu-yasha y la chica de la actualidad Kagome viajan junto a varios compañeros en busca de los fragmentos de la Joya de las Cuatro Almas, luchando incansablemente contra su enemigo mortal, Naraku.

Naraku ha conseguido la inmortalidad sacando su propio corazón de su cuerpo, pero Inu-yasha y los suyos descubren que dicho corazón se encuentra en el interior de un demonio llamado Môryômaru. Naraku, por su parte, le arrebata la vida a Kagura y esta fallece irremediablemente.

Por otra parte, Kikyô, que ha absorbido el alma muerta de Midoriko, le revela a Inu-yasha un plan consistente en purificar a Naraku en el instante mismo en que se complete la Joya de las Cuatro Almas.

En ese momento, Kôga del clan de los lobos endemoniados, que tiene incrustados sendos fragmentos de la Joya en sus piernas, ¡se topa con un brazo solitario que despide el olor de Môryômaru...!

INU-YASHA

Parte 1:
Inmovilización

¡¿UN BRA-ZO?!

ESTO HUELE IGUAL QUE EL TAL MÔRYÔ-MARU.

¡NO CABE DUDA!

¡¡UPS!!

¡¿HA DERRE-TIDO LA ROCA?!

¡¡...VENE-NO DEL CLAN DE OROCH!!!

ESTO ES...

¡MIRA ALLÍ, INU-YASHA!

PUES...

¿Y KÔGA?

¿ESTÁIS SOLOS?

SI ES KAGOME...

=ARG= =ARG= =ARG= =ARG= =ARG=

¡AH!

...SIEMPRE NOS DEJA ATRÁS, EL MUY...

PUES SÍ, ESE KÔGA DE LAS NARICES...

¿SE HA IDO TRAS EL RASTRO DE MÔRYÔ-MARU?

6

¡ESPE-RAD!

¡PERO BUE-NO!

10

ME TEMO QUE PRETENDE COMÉRSEME.

¡¡JU!!

¡INTÉNTALO SI PUEDES!

8

9

10

¡¡NGH!!

11

¡POR EL OLOR, NO PUEDE SER OTRA COSA!

¡ES EL BRAZO DE MÔRYÔMARU!

¡¿SE LARGA?!

¡¡NO TAN DEPRISA!!

¡¡RÁFA-GA DE LANZAS VAJRA!!

SE HA ESCA- PADO...

¡ESTO POR METERTE DONDE NO TE LLAMAN, CHU- CHO ASQUE- ROSO!

15

¡IMBÉCIL! ¿YA ME DIRÁS QUIÉN ERA EL QUE ESTABA AQUÍ PILLA- DO Y SIN SABER QUÉ HACER!

¡PERO BUE-NO!

Y TODO GRACIASA TU CERTERA FLECHA, KAGOME.

SÍ.

¿TE ENCUEN-TRAS BIEN, KÔGA?

PORQUE MÔRYÔMARU ES UN MONSTRUO CREADO A PARTIR DE PEDAZOS DE CADÁVERES DE DEMONIOS.

¿POR QUÉ HABÍA SÓLO UN BRAZO?

16

¿LO HAS ENTENDIDO, CABEZA DE CHORLITO?

SI NO HUBIÉSEMOS LLEGADO, MÔRYÔMARU TE HABRÍA QUITADO LOS FRAGMENTOS DE LA JOYA QUE TIENES EN LAS PIERNAS.

IMAGINO QUE ESTÁ TRATANDO DE CONSEGUIR NUEVA FUERZA DEMONÍACA.

TAMBIÉN ESTÁ LA VOLUNTAD DE MIDO-RIKO...

PERO NO ES SÓLO MÔRYÔMARU.

SÍ, PARA ACABAR CON NARAKU.

¡¿QUÉ?! ¡¿QUE UNA SACERDOTISA DE HACE SIGLOS PRETENDE REUNIFICAR LA JOYA DE LAS CUATRO ALMAS?!

¿Y ESA QUIÉN ES?

¿MIDO-RIKO...?

...CUANDO ANTES ME HE QUEDADO SIN MOVILIDAD EN LAS PIERNAS...

ENTON-CES...

17

¿...HA SIDO POR CULPA DE ESO?

¡MALDITA SEA!

¡SI NO LE HUBIESEN INTERRUMPIDO, HABRÍA SIDO DEVORADO!

.....
.....

TIENES QUE IR CON CUIDADO, KÔGA... TE LO RUEGO...

NI SIQUIERA NOSOTROS SABEMOS CÓMO FUNCIONA LA VOLUNTAD DE MIDORIKO.

PIENSO HACER MORDER EL POLVO A QUIEN HAGA FALTA, POR MUCHA ALMA DE SACERDOTISA QUE TENGA.

NO TE PREOCUPES, KAGOME.

18

.....
.....

INU-YASHA

Parte 2:
El cementerio de los lobos

NADIE AJENO A LOS NUESTROS PUEDE PISARLO.

A PARTIR DE AQUÍ EMPIEZA EL TERRITORIO DEL CLAN DE LOS LOBOS ENDEMONIADOS.

ESPERAREMOS AQUÍ.

DE ACUERDO.

24

SÓLO VOY A POR UN ARMA.

NO SUFRAS, KAGOME.

VE CON CUIDADO, KÔGA.

K... KÔGA...

VETE DE UNA VEZ, PESADO.

ばっ

SÍ, EL DE NUESTROS ANTEPASADOS.

¿CEMENTERIO...?

¿LA DEL CEMENTERIO DE LOS LOBOS...?

¿A BUSCAR UN ARMA...?

CREO QUE ME SERÁ ÚTIL.

AHÍ HAY UN ARMA GUARDADA.

VÁMO-NOS.

YA.

VE CON CUIDADO, KÔGA.

ESPERO QUE NO TE PASE NADA MALO.

¡VOSO-TROS VENÍS CONMI-GO!

¡¿EH?!

4

AUNQUE CON OBJETIVOS DISTIN-TOS...

LA SITUACIÓN SE HA PUESTO FEA.

EN ESE PRECISO INSTANTE...

...HAY QUE PURIFICAR A NARAKU Y LA JOYA.

...LA JOYA DE LAS CUATRO ALMAS.

...TANTO NARAKU COMO MIDORIKO ASPIRAN A LO MISMO: COMPLETAR...

¡SÓLO HAY UNA OPORTUNIDAD DE DERROTAR A NARAKU!

...COMPLETAR LA JOYA EQUIVALE...

PERO...

...A SACRIFICAR LA VIDA DE KOHAKU.

SANGO...

...LA VOLUNTAD DE KOHAKU.

TAMBIÉN ES...

28

¿DESEAS LA MUERTE DE TU HERMANO?

¿Y TÚ QUÉ, SANGO?

NO LO SÉ...

. . . . .
. . . . .

SE TE NOTA EN LA CARA QUE NO LO DESEAS.

⇒TSK⇐ ¡NO NOS MIENTAS!

7

INU-YASHA...

MÁS VALE QUE SEPAS QUE NO TENGO INTENCIÓN ALGUNA DE DEJAR MORIR A KOHAKU. ¿QUEDA CLARO?

PE-RO...

NO TE ESTAMOS DICIENDO ESTO POR COMPASIÓN NI PARA ANIMARTE, ¿ME OYES?

OYE, SANGO.

.....

.....

TODOS OPINAMOS LO MISMO.

SANGO...

8

PUEDE QUE AHORA TENGAS RAZÓN.

KIKYÔ...

CONTRA NARAKU NADA HACEN LAS ESPADAS.

PIENSO FORTALECER TODAVÍA MÁS A MI COLMILLO PERFORACERO.

PERO NO PUEDO DARME POR VENCIDO.

¡CON NUESTRAS FUERZAS!

DERROTAREMOS A NARAKU ANTES DE QUE LA JOYA QUEDE COMPLETADA.

9

BIEN, EN TAL CASO NOS DEDICAREMOS A IMPEDIR LA UNIÓN DEFINITIVA DE LA JOYA.

ENTONCES, DECIDIDO.

LO QUE NECESITAMOS AHORA ES UNIR NUESTRAS VOLUNTADES EN UNA.

SANGO.

. . . . .
. . . . .

GRACIAS, AMIGOS...

DESPEJA TUS DUDAS.

POR FAVOR...

NO QUIERO DEJAR MORIR A KOHAKU.

VALE...

¡¿EGH?!

O... OYE, KÔGA, ¿SEGURO QUE NO PODEMOS VOLVER ATRÁS?

ES... ES QUE MIRA AHÍ ARRIBA...

¡QUÉ MIEDO!

ES... ESTÁN TODOS MUERTOS, ¿NO?

¡¡BAH!! ¡¿TANTO OS ASUSTA?!

SEGÚN DICEN, EN LO MÁS PROFUNDO DEL CEMENTERIO...

12

¡...SE ENCUENTRA UN ARMA, ENCUMBRADA COMO UN TESORO!

¡PARECEN GARRAS!

VAYA...

JU... SERÁ EL GUARDIÁN DE LA TUMBA.

¡¿UN LOBO TRICÉFALO?!

¡¿EH?!

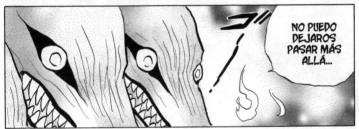

NO PUEDO DEJAROS PASAR MÁS ALLÁ...

コ''
!

¡GENIAL, ASÍ ACABAMOS ANTES!

SA... ¡SABE HABLAR!

16

SÓLO QUEREMOS TOMAR PRESTADA EL ARMA DURANTE UNA TEMPORADITA...

ESTE... NOSOTROS NO VENIMOS A ROBAR.

LAS GORAI-SHI* SON EL TESORO DEL CLAN DE LOS LOBOS ENDEMONIADOS.

IMPO-SIBLE...

*N DEL T: GORAISHI, LITERALMENTE "CINCO DEDOS DEL TRUENO".

SON UNAS GARRAS DEMONÍACAS QUE CONTIENEN LAS ALMAS DE NUESTROS ANTEPASADOS.

SI LAS QUERÉIS...

17

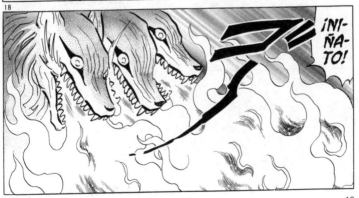

INU-YASHA

Parte 3:

El guardián del cementerio

¡¡AY AY AY!!

3

¡VOY A DEJARTE K.O. DE UN SOLO GOLPE!

¡PUES MENUDO GUARDIÁN DEL TESORO ESTABAS HECHO!

¡¡JU!!

UAUH... LO HA HECHO AÑICOS...

¡¡KÔGA!!

!

¡UGH!

TIENES FRAGMENTOS DE LA JOYA DE LAS CUATRO ALMAS EN LAS PIERNAS, ¿VERDAD?

OYE, NIÑATO...

46

¡FORMAN PARTE DE MI CUERPO! ¡¿ALGUNA QUEJA?!

¡¿Y QUÉ?!

AL TOCARLAS PUDE PERCIBIRLO.

NO LO CREO.

¿FORMAN PARTE DE TU CUERPO...?

CHICO, ESOS FRAGMENTOS...

7

¡¿EH?!

!

¡...ESTÁN BAJO EL YUGO DE UNA VOLUNTAD QUE NO ES DE ESTE MUNDO!

TAMBIÉN ESTÁ LA VOLUNTAD DE MIDO-RIKO...

ESTÁN DOMINADAS POR LAS ALMAS DE LOS MIEMBROS DEL CLAN QUE AQUÍ DESCANSAN.

8

...DE ESTE MUNDO.

LAS GORAISHI QUE TANTO DESEAS TAMPOCO SON...

NIÑA-TO.

ALGUIEN COMO TÚ NO ES MERECEDOR DE USARLAS.

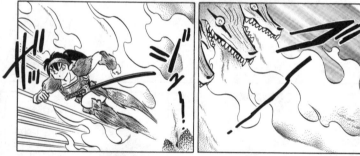

¡¡QUIZÁS, PERO ASÍ ES MÁS FÁCIL QUITARTE DE EN MEDIO!!

10

¿NO VES QUE NO GA- NARÁS NADA TRATANDO DE DESTRUIR- ME...?

¿CREES QUE PODRÁS INMOVILIZARME ASÍ...?

¡¡AH!!

¡TE VOY A ABRASAR VIVO!

¡INTÉNTALO SI PUEDES!

13

¡JU!! ¡NO ME DAS!

¡TE LAS ARREBATARÉ DE UN ZARPAZO!

¡¡BIEN!!

14

¡UGH!

¡¿EH?!

¡UAH!

15

ES...
¡ESTÁ
VOL-
VIEN-
DO!

¡ES LA
MITAD DEL
GUARDIÁN QUE
KÔGA HA
ARROJADO!

¡YA SON MÍAS!

¡¡JU!! ¡TE FASTI-DIAS!

17

VU... ¡¡VUELVE A UNIR-SE!!

CO...
¡COGE LAS
GORAISHI,
RÁPIDO!

¡¡KÔGA!!

18

INU-YASHA

Parte 4:
Las goraishi

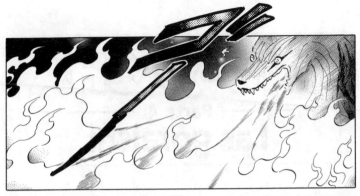

¡¡MAL-DITA SEA!!

¬TSK¬
¡UN POCO
MÁS Y NO
LO CON-
TÁIS!

PE...
PERDÓ-
NANOS,
KÔGA.

¡...ERA PARA VENGAR LA MUERTE DE INNUMERABLES COMPAÑEROS ASESINADOS POR CIERTO ENEMIGO!

SI YO QUERÍA HACERME CON LAS GORAI-SHI...

¡ESCÚCHAME BIEN!

¡¿LO CAPTAS, IMBÉCIL?!

¡PERO SI PARA CONSEGUIR UN ARMA TENGO QUE PERDER A MÁS COMPAÑEROS, NO LA NECESITO!

¡¡UGH!!

¡!

TE SE-GUIREMOS TODA LA VIDA.

KÔGA...

¡INSEN-SATO!

ii...HA DES PAR CIU

BAH...

PERD KÔG N

6

¿POR Q NO TE H HECHO C LAS GORA SIENDO Q LAS TENÍA A TIRO?

¡¡MIENTRAS LAS COGÍA, HABRÍAS ABRASADO A MIS COM-PAÑEROS!!

MUY BIEN, FÍJATE.

63

QUÉ ESTÚPIDO...

¡¡NO IBA A CAER EN TU TRETA, DESGRACIADO!!

HAS PREFERIDO TUS COMPAÑEROS A LAS GORAISHI...

¡ES TU CASTIGO POR PROFANAR EL CEMENTERIO!

¡EN TAL CASO, MORIRÁS AQUÍ Y AHORA!

¡¡AAHH!!

¡ARREPIÉNTETE DE LO QUE HAS HECHO!

¿NO VOLVERÁ A RECONSTRUIRSE...?

LE... ¿LE HA DERROTADO...?

¡¿QUÉ ES ESTO...?!

POR LO TANTO, AHORA CUENTAS CON LA PROTECCIÓN DE NUESTRAS ALMAS.

ポウ…

LAS GORAISHI SE HAN CONVERTIDO EN TUS GARRAS.

¿ESTÁN... EN MI CUERPO...?

HAN DESAPARECIDO...

13

NO OBSTAN-TE...

¿QUIERES DECIR QUE NUESTROS ANTEPASADOS VELARÁN POR NOSOTROS?

¿LA PROTEC-CIÓN...?

CIERTA FUERZA TIENE BAJO SU CONTROL LOS FRAGMENTOS DE LA JOYA INCRUSTADOS EN TUS PIERNAS.

!

POR LO QUE PODREMOS PROTEGERTE DE ESA VOLUNTAD QUE NO ES DE ESTE MUNDO...

...UNA SOLA VEZ.

¿QUÉ PASA CON TUS FRAGMENTOS...?

O... OYE, KÔGA...

14

VÁMONOS.

NO ES NADA.

UNA VEZ... BIEN, LO RECORDARÉ.

SÍ QUE TARDA KÔGA.

·····

15

¡¡KAGO-ME!!

YA ESTÁN DE VUELTA.

SIENTO UN OLOR IRRI-TANTE.

A

¡¡KÔGA!!

16

74

JU...

¿NO ES UNA ESPADA?

¿EH? ¿UNAS GARRAS?

...NO ME COSTARÍA NADA REBANARTE EL PESCUEZO CON MIS GORAISHI...

SI QUIERES...

KÔGA.

AL SUELO, INU-YASHA.

¡MUY DIVER-TIDO! ¡INTÉN-TALO!

¿NO PUEDES QUEDARTE CON NOSO-TROS?

NOS VEMOS, KAGOME.

LO SIENTO, PERO NO.

¿CON EL CHUCHO ESTE?

¡TA

LOS FRAGMENTOS EN SUS PIERNAS...

!

PERO...

...CUENTAN CON LA PROTECCIÓN DE ALGO...

...DE UNA FUERZA TAN PODEROSA...

...NO SE TRATA...

¡Y ESTA VEZ ES ENORME!

ズン...

¡OTRO MÁS!

2

SI ES UN MONSTRUO DE PACOTILLA...

OS... OS LO RUEGO...

¡¡HERIDA DEL VIENTO!!

SÍ, DESDE HARÁ UNOS TRES DÍAS...

¿SALEN CONTINUAMENTE MONSTRUOS DEL BOSQUE?

PARECÍAN ESTAR HUYENDO DE ALGO, COMO SI LES PERSIGUIERAN.

AL PRINCIPIO NO ERAN MÁS QUE PEQUEÑOS DEMONIOS POCO PODEROSOS.

IGNORO DE QUÉ SE TRATA...

¿HUYENDO DE ALGO?

Y LA GENTE DEL PUEBLO NADA PODEMOS HACER CONTRA ELLOS.

PERO LOS DEMONIOS SON CADA VEZ MÁS FUERTES...

SIEMPRE DICES LO MISMO.

COMO SI TUVIÉRAMOS TIEMPO PARA PERDERLO HACIENDO DE BUENOS SAMARITANOS.

¡5K!

¡ヒ...

SANGO Y MIROKU SE HAN IDO A INVESTIGAR.

¿QUÉ HACES AQUÍ TAN PANCHO, INU-YASHA?

SE VE QUE VAN A POR DEMONIOS, ¿NO?

SI ESPERO, SEGURO QUE VENDRÁN ELLOS A ATACARNOS.

¿UH?

¡AQUÍ EL ÚNICO DEMONIO QUE HAY SOY YO!

ES... ¡ES VERDAD!

¿¡SE REFIERE A MÍ?!

¡¡A POR DEMONIOS!!

¡A UN MEDIO-DEMONIO DE PACOTILLA NO VAN A HACERLE NI CASO!

PUES ANDA QUE TÚ, NO SÉ QUÉ HACES DE BRAZOS CRUZADOS.

¿NO TE PARECE?

SHIPPÔ, NO CREO QUE TÚ TENGAS MOTIVOS PARA PREOCUPARTE.

ぐぐりり

6

¿¡BUH!!

¡DEBO SER FUERTE!

HAY QUE HACER ALGO.

¡NO ME PEGUES ESTOS SUSTOS, CABEZÓN!

NO PODEMOS DEJAR SOLO A SHIPPÓ EN UN LUGAR COMO ESTE...

PERO BUENO...

¡ME TIENES HASTA LAS NARICES!

¡¡AH!!

¿EH?

ALLÍ ESTÁ A SALVO.

7

¡SÉ QUE ANDAS POR AQUÍ DESDE HACE UN BUEN RATO!

¡¡SAL!!

BIEN, EN TAL CASO TE HARÉ SALIR YO.

¿NO VAS A RESPONDER?

¡¡HERIDA DEL VIENTO!!

INU-
YASHA...

PERO HE
MEMORIZADO
SU OLOR.

SE HA
ESCAPADO.

9

¡ALGÚN DÍA TE DARÉ UNA LECCIÓN!

ESE INU-YASHA...

S... SI CONTESTAS...

QU... ¡¿QUIÉN ANDA AHÍ?!

10

¡...VAS A SUFRIR EN TUS CARNES MIS TÉCNICAS ZORRUNAS!

MI
TÉCNICA...

AH..

¡EGH?

¡PUES
AHORA
VERÁS!

¡PEONZA
APLASTA-
DORA!

¿Q-QUIÉN ES ESTA NIÑA...?

BUM BUM

...TÚ ESTABAS CON EL MEDIO-DEMONIO DE LA KATANA ENCANTADA, ¿NO?

HACE UN MOMENTO...

13

¡¿EH?! ¡¿ESA ES SU PEONZA?!

¡¡AH!!

⇒TSK⇐ ¿DÓNDE SE HA METIDO?

¡¡SHPÓ!!

...

¡OYE, TÚ! ¡HABERME TRAÍDO HASTA AQUÍ NO TE SERVIRÁ DE NADA!

JU...

¡ENCONTRARÁ MI RASTRO EN UN ABRIR Y CERRAR DE OJOS!

¡INU-YASHA TIENE BUEN OLFATO!

ME SERVIRÁS DE ESCUDO CONTRA LA ESPADA DE ESE INU-YASHA O COMO SE LLAME.

ERES MI REHÉN.

...DARLE MÁS FUERZA DEMONÍACA.

QUIE-RO...

¿¿QUÉ PRETENDES HACER?!

ES UNA KATANA QUE ADQUIERE PODER SUCCIONANDO LA FUERZA DEMONÍACA DE SUS CONTRINCANTES.

ESTA ESPADA ENCANTADA SE LLAMA "DAKKI*".

15

PERO...

HE SUCCIONADO LA FUERZA DE LOS MÁS DÉBILES.

YO MISMA, LA GRAN MUJINA.

JU...

¿ENTONCES ERAS TÚ LA QUE ECHÓ DEL BOSQUE A LOS DEMONIOS QUE HABITABAN EN ÉL?

*N DEL T: DAKKI: LITERALMENTE, "ARREBATAR/SALIR" - "MONSTRUO/OGRO/DEMONIO".

91

SI LE ATACARA SIN MÁS, ESTOY SEGURA DE QUE ME MATARÍA ANTES DE PODER SUCCIONARLE LA FUERZA DEMONÍACA.

LA ESPADA DE ESE MEDIO-DEMONIO ES DEMASIADO FUERTE.

...NO SE ATREVERÁ A BLANDIR SU ARMA TAN FÁCIL-MENTE.

PERO CONTIGO DE ESCUDO...

SÍ, ES ALLÍ.

¿BAJO AQUEL ÁRBOL?

16

¡¡HERIDA DEL VIENTO!!

¡¿UH?!

ESTO APESTA A DEMONIO Y A SHIPPÔ.

92

¡AL SUELO, INU-YASHA!

¡MAL-DITA SEA!

¡¿QUÉ PASA SI LE HIERES?! ¡SHIPPÔ ESTÁ AHÍ DENTRO!

¡¿PERO QUÉ HACES?!

¡MIERDA! ¡SI NO LLEGO A TENER PREPARADA ESTA VÍA DE ESCAPE, HABRÍA CORRIDO PELIGRO!

...A ESE MEDIO-DEMONIO NO LE IMPORTAS EN ABSOLUTO.

POR LO QUE PARECE...

18

¡ESTA ME LA PAGARÁS!

¡INU-YA-SHA!

INU-YASHA

Parte 6:
Causa moral

SON SEÑALES DE SHIPPÔ...

¡¡BUAH!!

¡¡BUAH!!

¡¡BUAH!!

¡¡BUAH!!

¡¡BUAH!!

¡¡HUELO A DEMONIO!!

¡ESTÁ CERCA!

¡¡AHÍ ESTÁ!!

3

¡VOY A ACABAR CONTIGO!

¡¿ALGO ESTÁ
SUCCIONANDO
LA FUERZA
DEMONIACA DE
LA COLMILLO
PERFORA-
CERO?!

?!

¡RÁPIDO,
ESCAPE-
MOS!

ERES INTELIGENTE, SHIPPÔ.

HE PODIDO SUCCIONAR FUERZA DE LA ESPADA DE ESE VIOLENTO MEDIO-DEMONIO.

·····

ESTO POR TRATARME SIEMPRE COMO UN TRAPO VIEJO.

APRENDE, INU-YASHA.

LO QUE PASA ES QUE TODAVÍA NO HE CONSEGUIDO SUFICIENTE PODER.

¡PUES ESTOY CONVENCIDO DE QUE SOY COMO SIETE VECES MÁS INTELIGENTE QUE ESE PARDILLO DE INU-YASHA!

¡¿TÚ CREES?!

6

¿AH, SÍ? ¡GENIAL, GRACIAS!

¡TÚ DÉJAME A MÍ!

¿POR QUÉ QUIERES FORTALECER TANTO TU PROPIA KATANA?

PERO MUJINA...

¿...ME PREGUNTAS SOBRE MI PADRE?

¿POR QUÉ...?

¿Y TU PADRE?

¿ESTÁS SOLA?

· · · · ·
· · · · ·

ES QUE EN TU GUARIDA OLÍA A PERSONA MADURA.

7

TAMBIÉN TIENES BUEN OLFATO.

VAYA, SHIPPÔ...

UN DEMONIO MALVADO LO MATÓ...

...MURIÓ. MI PADRE...

ASÍ ES.

· · · · ·

¿¡VER- DAD?!

EN... ENTONCES TÚ QUIERES FORTALECER TU ESPADA PARA VENGARLE...

8

¡ES UNA CAUSA MORAL!

¡ESTA LUCHA HA DEJADO DE ESTAR CONDUCIDA POR RENCORES PERSONALES!

A MUJINA... LE HA OCURRIDO LO MISMO QUE A MÍ.

SHIP-PÔ...

¡PATÉ-
TICO!

...ESO ES
CLARAMENTE
UNA TRAMPA
DE SHIPPÔ.

MÁS
QUE UN
DEMONIO...

11

¡VUELVE A SUCCIONAR LA FUERZA DEMONÍACA!

¡TSK!

¡ASÍ DELATAS TU POSICIÓN!

IMBÉCIL.

12

¡¿HILOS PEGAJO-SOS?!

¡¡QUÉ ESTUPI-DEZ!!

13

LA HERIDA DEL VIENTO...

?!

¡ES POR- QUE ESTÁN SUCCIO- NANDO SU PODER!

¡ESTÁ PER- DIENDO POTEN- CIA!

14

¡JU!!

¿¿UNA NIÑA?!

SÉ PERFEC-TAMENTE QUE ES-TÁS AHÍ.

DA LA CARA, SHIPPÔ.

·····

¡NO ES ESO!

A LA QUE VE UNA FALDA, SE PEGA A ELLA.

HA ENGAÑADO A SHIPPÔ.

¿CÓMO LO HAS SABIDO, INU-YASHA?

¡JE JE!

OYE, TÚ.

¿DE VERAS CREÍAS QUE NO SE TE VEÍA EL PLUMERO?

¡ESTO ES UNA CAUSA MORAL!

¡MIS MOTIVOS NO SON TAN RASTRE-ROS!

¡VOY A PROBARLO CONTRA ESTE MEDIO-DEMONIO!

VAMOS A VER CUÁNTO PODER HE LOGRADO SUCCIO-NAR...

APÁRTATE, SHIPPÔ.

¿EEEH?

MU... MUJINA...

!

¡AL
SUELO
TODOS!

I... INU-YASHA...

¡JUJU! IMPRESIONANTE...

GRACIAS A TI HE CONSEGUIDO HACERME CON UN MONTÓN DE FUERZA DEMONÍACA.

MUCHAS GRACIAS, SHIPPÔ.

18

MU... ¿MUJINA?

INU-YASHA

Parte 7:
La Dakki

...NO PUEDE HABER SOBREVIVIDO A ESTO.

¡JUJU! ESE MEDIO-DEMONIO...

ブ!!

...ES AHORA TODA MÍA.

LA FUERZA DE LA HERIDA DEL VIENTO...

2

PO... POR MI CULPA, INU-YASHA HA...

114

NO RECUERDO HABER DICHO TAL COSA.

JU...

¿ACASO NO QUERÍAS LIMITARTE A ARREBATAR EL PODER DE LA COLMILLO PERFORACERO?

PO... ¿POR QUÉ, MUJINA?

YO LO QUE QUIERO ES CONQUISTAR EL MUNDO.

ADEMÁS, NO HAY SITIO PARA DOS INDIVIDUOS FUERTES; UNO DE LOS DOS SOBRA.

3

MI VIEJO MURIÓ HACE MÁS DE CIEN AÑOS.

DE UNA INDIGESTIÓN.

¡...COMO HAS DICHO QUE QUERÍAS FORTALECER A TU ESPADA PARA VENGAR A TU PADRE...!

PU... ¡PUES YO...!

CO... ¡¿CONQUISTAR EL MUNDO?!

¡ME HA TOMADO EL PELO!

¡...TE PEGARÉ!

POR MUCHO QUE SEAS UNA CHICA...

ES IMPERDONABLE...

¡ESTO ES POR INU-YASHA, QUE HA TENIDO QUE MORIR DE LA FORMA MÁS PATÉTICA!

4

¡OYE, TÚ!

¿SE PUEDE SABER QUIÉN HA MUERTO DE FORMA PATÉTICA AQUÍ?

!

¡¡AY!!

HE ESCUCHADO LO QUE DECÍAIS.

¡ESTÁS VIVO!

¡¡INU-YASHA!!

¡UAH!

EL MANDOBLE ES POCO ÁGIL Y EL RECORRIDO DEL VIENTO ES LENTO.

BAH...

¿QUÉ VAS A HACER, SHIPPÔ?

¡UGH!

...PERO COMO ESPADA-CHINA DEJAS MUCHO QUE DESEAR.

NO SÉ CUÁNTO PODER DEMONÍACO HAS SUCCIO-NADO...

¿EH?

....

¿ME LA CARGO?

ESTA TE HA ESTADO ENGAÑANDO, ¿NO?

POR ESO QUIERO QUE SHIPPÔ LO DECIDA.

¡ES VERDAD! ¡AUNQUE SEA UN SER SOBRENATURAL, ES SÓLO UNA NIÑA...!

¿SERÍAS CAPAZ DE ESO, INU-YASHA?

ME HE APROVECHADO DE LA BONDAD DE SHIPPÔ.

ME RESIGNO A LA MUERTE...

9

AUNQUE HA SIDO SÓLO UN RATO... HA SIDO UN PLACER CONOCERTE.

MUJINA...

¡ANTES QUE MUJINA, QUIEN DEBERÍA MORIR AQUÍ SOY YO!

¡HE SIDO YO EL QUE HA TENDIDO LAS TRAMPAS Y LE HA SUGERIDO IDEAS!

¡INU-YA-SHA!

SHIPPÔ...

¡YO ME ENCARGO DE PARARLE LOS PIES!

¡HUYE, MUJINA!

OOH...

10

·····
·····

¡VETE DE UNA VEZ, MUJI-NA!

...TE LO PERDONO TODO.

POR ESTA LÁGRI-MA...

SNIF

GRACIAS, SHIPPÔ...

SI NO QUIERES QUE SHIPPÔ MUERA, YA ME ESTÁS DANDO ESA ESPADA ENCANTADA.

¡¿EH?!

MEDIO-DEMO-NIO...

11

¡POR FIN TE MUESTRAS TAL COMO ERES!

¿UN TEJÓN GIGAN-TE...?

¿¿UH?!

¿¿EH?!

¡DES-GRACIA-DOOO!

ME HAS DESCU-BIERTO...

MALDITO MEDIO-DEMO-NIO...

13

¡¡APESTAS A VIEJO, MAL-DITA SEA!! ¡SE TE NOTA A LA LEGUA!

¡¡CÁ-LLA-TE!!

ERA SU PROPIO OLOR...

CLARO... POR ESO OLÍA A PERSONA MADURA EN LA GUARIDA...

A VIEJO...

¿ME LO CARGO?

ESTE TIPEJO HA ESTADO JUGANDO CONTIGO.

¿EH?

¿QUÉ ME DICES, SHIPPÔ?

14

¿AH, SÍ?

YA NADA ME IMPORTA...

¡JUJU! ¿VAS A ATACARME...?

VEAMOS.

MUY BIEN, ASÍ GANARÉ MÁS FUERZA DIABÓLICA PARA MI "DAKKI"...

¡PA-LUR-DO!

¡LA POTENCIA DE LA HERIDA DEL VIENTO DE INU-YASHA SE HABÍA DEBILITADO!

ES... ¡ES VERDAD!

15

INU-YA-SHA...

16

LE HA VUELTO LA FUERZA.

¡AH!

LA COLMILLO PERFORACERO TAMBIÉN SUCCIONA LA ENERGÍA DE SUS CONTRINCANTES.

EVIDENTE-MENTE.

¡SI YO ESO NO TE LO TENGO EN CUENTA PARA NADA, HOMBRE!

¿QUÉ COSAS DICES, SHIPPÔ?

POR MI CULPA...

ESCUCHA, INU-YASHA...

¿UH?

OYE... QUE LO QUE DICES Y LO QUE HACES NO TIENE NADA QUE VER...

SÍ.

ESTA KATANA, LA "DAKKI"...

POR CIERTO, INU-YASHA...

PERO LA ESPADA ES AUTÉN-TICA.

SU PROPIETARIO ERA MÁS BIEN DEL MONTÓN.

18

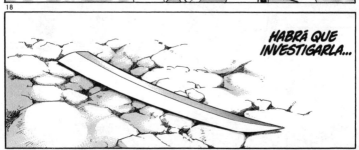

HABRÁ QUE INVESTIGARLA...

INU-YASHA

Parte 8:
Tôshû

PUEDE SUCCIONAR LA FUERZA DEMONÍACA DE SU CONTRIN-CANTE, ¿NO ES ASÍ?

*MM*M... ES LA ESPADA ENCANTADA "DAKKI".

HOMBRE, SONARME ME SUENA.

PUES...

SUPONGO QUE TÚ SABRÁS ALGO DE ELLA, TÔTÔSAI.

MIRA.

¿DE HOMBRE-DRA-GÓN?

UNA ESCAMA DE HOMBRE-DRAGÓN.

¿Y ESTO?

133

CHAP

VAYA POR DONDE...

UNA ESPADA ENCANTADA CON UNA ESCAMA DE HOMBRE-DRAGÓN DENTRO...

ESTA ESPADA ES DE MALA CALIDAD, MAL FORJADA.

QUÉ COSAS...

4

SI LLEGA A ESTAR BIEN FORJA-DA...

...HABRÍAS MORDIDO EL POLVO.

AUNQUE AL FINAL HE VENCIDO YO, CLARO.

¡PERO SI HA CONSEGUIDO SUCCIONAR LA ENERGÍA DE LA COLMILLO PERFORACERO!

¡¿MAL FORJA-DA?!

POR ESO MISMO.

134

...HAY UNA ESPADA "AUTÉNTICA", ¿NO?

POR LO QUE DICES...

UN TIPO AL QUE ESTAMOS PERSIGUIENDO AHORA, UN TAL MÔRYÔMARU...

¿PARA QUÉ QUIERES SABERLO?

MMM...

5

...SE DEDICA A ZAMPAR ENERGÍA DEMONÍACA.

¡OH!

...AUMENTA SU PODER DEVORANDO CADÁVERES DE DEMONIOS Y FUERZA DEMONÍACA.

AL IGUAL QUE NARAKU, MÔRYÔMARU...

...QUE SI LUCHAS CON UNA KATANA ENCANTADA QUE PUEDE IGUALMENTE SUCCIONAR ENERGÍA, PODRÁS NEUTRALIZAR EL PODER DE MÔRYÔMARU.

ES DECIR...

YA VEO...

6

NI SE TE OCURRA.

SI PUEDO SUMAR LA FUERZA DE LA "DAKKI" AUTÉNTICA A LA COLMILLO PERFORA-CERO, CONSEGUIRÉ DERROTAR A MÔRYÔ-MARU DE UNA VEZ POR TODAS.

NO SÓLO NEUTRALI-ZARLO.

ゴォォォ

8

ジャ…

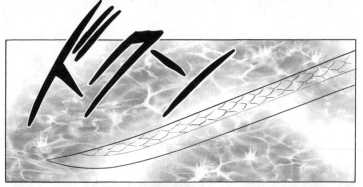

LA
ESCA-
MA...

LA ESCAMA
DE HOMBRE-
DRAGÓN
SE HA ASIMI-
LADO CON
LA HOJA...

NO HAY
DUDA...

9

!

¿UN
HUMANO?

ESO SE
RUMOREA.

¿DE VERAS FUE
UN HERRERO HUMANO
EL QUE FORJÓ
LAS "DAKKI",
VIEJO MYÔGA?

SE DICE QUE UN
HOMBRE-DRAGÓN
LE PROPORCIONA
ESCAMAS PARA
QUE LAS FORJE...

...IMAGINO QUE
FUE ROBADA
DEL TALLER DE
ESE HERRERO.

ENTONCES LA
"DAKKI" DEFECTUOSA
CONTRA LA QUE
LUCHÓ INU-YASHA
EL OTRO DÍA...

¡Y EN
MUCHA
CANTI-
DAD!

¡HUE-
LO A
SAN-
GRE!

¿INU-
YASHA?

11

¡MÁS
DEPRI-
SA!

141

¡¡U-UN MONS-TRUO!!

¡UAH!

12

¡TÔ-SHÛ!

¿¿DÓN-
DE ES-
TÁS?!

13

¡YA
TE
TEN-
GO!

¡¡HERIDA DEL VIENTO!!

14

¡¿LO HA DERRO-TADO?!

SE HA LARGADO.

15

·····
·····

¿ESE IBA A POR TI?

OYE, TÚ...

PERO HARÁ COSA DE UN AÑO...

SOY HERRERO... Y ME LLAMO TÔSHÛ.

SOLÍA GANARME LA VIDA VAGANDO POR LAS DIFERENTES REGIONES AFILANDO ESPADAS.

16

ESTABA ATRAVESANDO UN ANTIGUO CAMPO DE BATALLA, CUANDO...

¡DEBES FORJAR UNA ESPADA PARA MÍ!

LA FUENTE DE MI PODER.

VOY A DARTE UNA ESCAMA DE HOMBRE-DRAGÓN...

17

¿UNA MARCA?

...CONJURÓ UNA MARCA SOBRE MÍ.

PARA QUE NO PUDIERA ESCAPAR, EL HOMBRE-DRAGÓN...

ASÍ PUES, TAL COMO DESEABA EL HOMBRE-DRAGÓN, FORJÉ LA ESPADA ENCANTADA "DAKKI"...

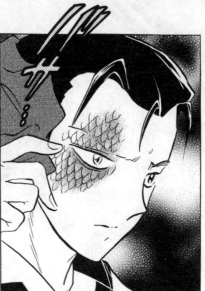

...SE HICIERA CON ELLA.

PERO... EVIDENTEMENTE, NO PODÍA DEJAR QUE ESE HORRIBLE MONSTRUO...

18

SÍ.

INU-YASHA...

INU-YASHA

Parte 9:

El escudo del hombre-dragón

VOY A TENDER UNA BARRERA ESPIRITUAL EN ESTE SANTUARIO.

MIENTRAS TE ENCUENTRES DENTRO, EL HOMBRE-DRAGÓN NO PODRÁ ALCANZARTE.

¿HA QUEDADO CLARO, TÔSHÛ?

NO DEBES SALIR DE AQUÍ BAJO NINGÚN CONCEPTO.

S-SÍ...

·····
·····

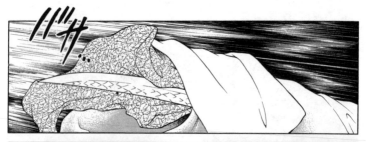

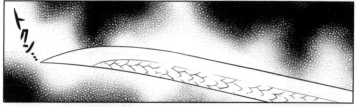

LA DAKKI ESTÁ INQUIETA...

¡TENÉIS LA ESPADA ENCANTADA DAKKI A TIRO!

¿QUÉ PASA, MYÔGA?

¡¿ESTÁIS SEGURO, SEÑOR INU-YASHA?!

EN PRINCIPIO LO QUE QUERÍAIS ERA DERROTAR A LA DAKKI PARA FORTALECER ASÍ LA COLMILLO PERFORACERO, ¿NO ES ASÍ?

EN ESE CASO...

¡NO VOY A COMPORTARME CON UN VIL LADRÓN!

¡CLARO QUE SÍ! ¡Y CUANDO ANTES!

¿ESTÁS DICIENDO QUE DEBERÍA QUITÁRSELA AL TAL TÔSHÛ, EL HERRERO?

4

¿EH?

LO CIERTO ES QUE YO HABÍA PENSADO LO MISMO.

VIEJO MYÔGA, TEN UN POCO MÁS DE ESPÍRITU NOBLE, HOMBRE.

ES CIERTO...

TODAVÍA NO HA SUCCIONADO LA FUERZA DEMONÍACA DE NINGÚN SER SOBRENATURAL.

ACABO DE FORJAR ESTA DAKKI...

PERO...

MIENTRAS NO DESTRUYA A NINGÚN DEMONIO, NO DEJARÁ DE SER UNA ESPADA NORMAL Y CORRIENTE.

¡¡PERO SI TE HE DICHO QUE NO IBA A ROBARLA!!

OOOOH... ¡QUÉ LÁSTIMA, SEÑOR INU-YASHA!

POR ESO NO TENDRÍA SENTIDO QUITÁRSELA AHORA.

5

!

¡¿...HA SIDO REPELIDA?!

LA HERIDA DEL VIENTO...

¡UN
HOMBRE-
DRA-
GÓN!

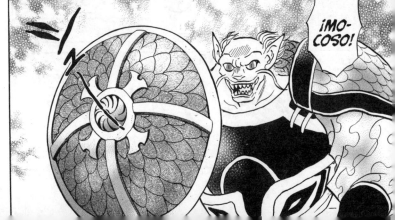

¡MO-
COSO!

9

¡UGH!

¡¡AH!!

¡¿EH?!

¡MÁS BIEN SE FORTALECEN CON CADA NUEVO ATAQUE DE FUERZA DEMONÍACA!

¡QUE LOS ESCUDOS DE LOS HOMBRES-DRAGÓN SON INVENCIBLES!

¡ATÁCAME CUANTO QUIERAS!

¡INU-YA-SHA!

¡¡A-H!!

¡TAMBIÉN PUEDE SUCCIONAR ENERGÍA, IGUAL QUE LA ESPADA!

CLARO... EL ESCUDO TAMBIÉN ESTÁ HECHO CON ESCAMAS.

...Y CON LA DAKKI EN MIS MANOS, ¡SERÉ EL MÁS FUERTE!

CON ESTE ESCU-DO...

¡¡LA DAKKI JAMÁS CAERÁ EN TUS MANOS!!

¡QUE OS ESTÁ ROBANDO LA FUER-ZA!

¡ES-CAPAD, INU-YASHA!

162

16

¡VAYA FUERZA BRUTA!

¡¿ESTÁ EMPUJANDO A INU-YASHA?!

¡¿EEEEH?!

¡¡AH!!

¡ESCONDERTE TRAS UNA BARRERA ESPIRITUAL NO TE VA A SERVIR DE NADA!

¡¿ESTÁS AHÍ, TÔSHÛ?!

17

18

INU-YASHA

Parte 10:
El amo de la Dakki

¡SI LE DAS LA KATANA, TE VA A ASESINAR POR MUCHO QUE DIGA LO CONTRARIO!

¡NI SE TE OCURRA SALIR!

¡TE ESTOY DICIENDO QUE VAS A SALIR CON VIDA!

¡TÔ-SHÛ!

¡PERO USTED NO ES EL INDICADO PARA POSEER LA DAKKI!

¡NO ME IMPORTA MORIR!

YO...

SEÑOR HOMBRE-DRAGÓN...

3

¡LA PROPIA ESPADA ME LO ESTÁ DICIENDO!

トクン...

LA DAKKI...

EL HOMBRE-DRAGÓN ME DIO UNA DE SUS ESCAMAS PARA FORJAR LA ESPADA.

SEÑOR INU-YASHA.

SI LE ATACA ALLÍ, PODRÍA...

TIENE QUE HABER UN PUNTO DESPROTEGIDO EN SU CUERPO.

¿PERO DÓNDE...?

¡ESE ES EL PUNTO DÉBIL DEL HOMBRE-DRAGÓN!

TÔ-SHÛ...

¡TÔ-SHÛ!

4

¡UGH!

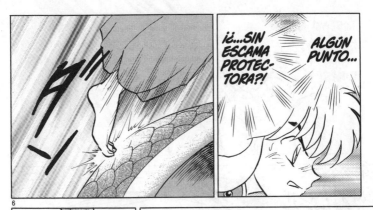

¿¿...SIN ESCAMA PROTECTORA?!

ALGÚN PUNTO...

¡¡HERIDA DEL VIENTO!!

¡¡HERIDA DEL VIENTO!!

¡Y NO TENGO TIEMPO PARA IR TAN-TEANDO!

NO SÉ DÓNDE ESTÁ ESE PUNTO....

8

¡HA DESTRUIDO EL TERRENO PARA HACERLE PERDER EL EQUILIBRIO!

¿?

¡LO CON-SI-GUIÓ?!

01

SE HA ROTO EL ESCUDO.

¡¡BIEN!!

¡HA CONSEGUIDO HACER USO DE ELLA PORQUE EL HOMBRE-DRAGÓN HA ATACADO CON SU ESCUDO!

¡LA ONDA EXPLOSIVA DEL SEÑOR INU-YASHA ES UNA TÉCNICA MORTAL QUE CONSISTE EN RODEAR LA FUERZA DEMONÍACA DEL RIVAL CON LA HERIDA DEL VIENTO PARA LANZARLA CONTRA ÉL!

15

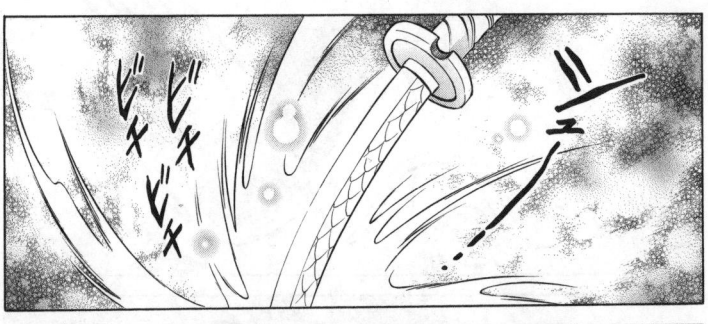

HA ABSORBIDO LA ENERGÍA DEL HOMBRE-DRAGÓN.

CON ESTO, LA DAKKI HA SIDO COMPLE-TADA...

PE-RO...

¿¡TÔ-SHÛ?!

Fin del tomo 39 de Inu-Yasha